Die großen Meister der Malerei

Lindsay Stainton

William Hogarth

Werkverzeichnis

Ullstein KunstBuch

Ullstein KunstBuch
Ullstein Buch Nr. 36043
im Verlag Ullstein GmbH,
Frankfurt/M – Berlin – Wien

Deutsche Erstausgabe
Aus dem Englischen übersetzt
und bearbeitet von
Nora Jensen

Umschlagentwurf: Hansbernd Lindemann
Umschlagfoto: Fotoarchiv Rizzoli
Alle Rechte vorbehalten
© 1979 by Rizzoli Editore, Mailand
© der deutschen Ausgabe 1981 by
Verlag Ullstein GmbH,
Frankfurt/M – Berlin – Wien
Die Vorlagen für die Abbildungen
stammen aus dem Fotoarchiv Rizzoli
sowie aus dem Archiv von Dr. (Ms.) Stainton,
London (S. 12, 13, 22, 23, 43, 46, 48, 52, 56,
58, 71, 80, 81, 84, 88, 89) und Yale Center
for British Art, New Haven (S. 56)
Printed in Italy 1981
Satz: Süddeutsche Verlagsanstalt, Ludwigsburg
Druck- und Bindearbeiten:
Rizzoli Editore, Mailand
ISBN 3 548 36043 2

März 1981

Stainton, Lindsay:
William Hogarth: Werkverz. / Lindsay Stainton.
[Aus d. Engl. übers. u. bearb. von Nora Jensen
u. Rudolf Kimmig]. – Dt. Erstausg. –
Frankfurt (M); Berlin; Wien: Ullstein, 1981.
  (Die großen Meister der Malerei) (Ullstein-
  Buch; Nr. 36043: Ullstein-Kunst-Buch)
  ISBN 3-548-36043-2
NE: Hogarth, William [Ill.]; Jensen, Nora [Bearb.];
2. GT

Einführung

»Dessen gemalte Moral den Geist bezaubert, und durch das Auge das Herz korrigiert.«

– aus der Grabschrift von David Garrick auf Hogarths Grab auf dem Chiswick Friedhof.

Hogarth war ein Maler neuer Art, der seine Inspiration aus dem täglichen Leben gewann, das ihn umgab. In gewissem Sinne hatten dies schon die holländischen Maler des 17. Jahrhunderts getan. Doch während sie sich – Rembrandt und wenige andere ausgenommen – auf Erscheinungen, Sitten und alltägliche Handlungen beschränkten, befaßte Hogarth sich ebenso mit moralischen Werten. Er verstand seine Kunst als Kommentar zur Gesellschaft. In der energischen, aufrührerischen und oftmals gewalttätigen Welt Londons im 18. Jahrhundert beobachtete Hogarth ein menschliches Verhalten, das viel öfter dumm, habgierig und bösartig war als nicht; und er gebrauchte seine Kunst, um das zu verdeutlichen. Er sah die Menschen herumtrödeln, wenn sie arbeiten sollten, betrunken, wenn sie nüchtern, bestechlich und unehrlich, wenn sie glaubwürdig sein sollten, und er zeigte sie als das, was sie waren.
Sein Freund, der Schauspieler David Garrick, beschrieb seine Bilder und Radierungen zurecht als »gemalte Moral«. Durch visuelle Formen versuchte Hogarth, »das Herz zu korrigieren«.
Wie hat er »den Geist bezaubert«? Einmal, indem er eher die Komödie als die Tragödie verwendete, und durch sein Talent, Charaktere zu zeichnen und Geschichten zu erzählen.
Hogarth war der bürgerlichste der Bourgeois, der englischste der Engländer und Londoner durch und durch. Seine Kunst spiegelte seine eigenen Erfahrungen und Meinungen wider (bezeichnenderweise war

Selbstbildnis des Künstlers nach einer Skizze von 1732 aus einem Reisenotizbuch (London, British Museum)

er der erste britische Künstler, der seine Autobiographie schrieb, die allerdings zu seinen Lebzeiten nicht beendet oder veröffentlicht wurde). 1697 wurde er als Sohn eines Lehrers geboren, der freiberuflicher Autor lateinischer Textbücher und Besitzer eines Cafés in Bartholomew in der Nähe des Smithfield Market wurde. Ganz in der Nähe befand sich die Kirche des Hl. Bartholomäus des Großen. In jedem August fand auf dem Marktplatz der Bartholomäusjahrmarkt statt, eines der größten öffentlichen Spektakel Londons, mit Theateraufführungen, Attraktionen und dem üblichen Zubehör eines Jahrmarktes – Bordellen, Ginschenken, etc. Dem Platz gegenüber lag das St. Bartholomew's Hospital,

3

dessen Treppenaufgang Hogarth später, nach dem Wiederaufbau des Krankenhauses in den Dreißiger Jahren, dekorieren sollte; außerdem wurde er in den Vorstand berufen. Ein wenig südwärts befanden sich Newgate und das Fleet Gefängnis, in das sein Vater 1708 nach der Pleite des Cafés wegen seiner Schulden geworfen wurde – auch das Schreiben brachte kaum was ein. Diese Einrichtungen – der Jahrmarkt, das Krankenhaus und das Gefängnis – beherrschten Hogarths Kindheit. Später kam eine weitere hinzu: das Theater. Es fällt auf, wie oft diese Themen in seinen Bildern wieder auftauchen.

1714, im Alter von 17, wurde er für sieben Jahre (er bleibt sechs) von Ellis Gamble als Lehrling angenommen. Gamble war Entwerfer von heraldischen Motiven und Silbergraveur, also Handwerker und kein bildender Künstler. Trotzdem sollte die Kupferstecherei Hogarths wesentliches Mittel bleiben. Häufig radierte er seine eigenen Bilder – und er produzierte wichtige Kompositionen und ganze Serien nur in dieser Technik. Neben den Porträts, die er machte, um den Lebensunterhalt zu verdienen und ein großes Publikum zu erreichen, waren die Radierungen seine prinzipielle Arbeit. Tatsächlich hätte Hogarth sein Ziel, »das Herz zu korrigieren«, nie erreicht, wenn er nur die wenigen angesprochen hätte, die seine Bilder kauften. Seine visuellen Quellen waren auch hauptsächlich Nachdrucke der Alten Meister und die Ätzungen und Radierungen französischen Künstler des 17. Jahrhunderts wie Callot und Abraham Bosse. Die Linie, fundamentaler Bestandteil des Radierens, blieb schließlich die Grundlage seiner ästhetischen Theorie. Von den frühesten Tagen an, in denen er sich entschied, sein Gedächtnis zu trainieren, indem er, wie er sagte, »jene Objekte *direkt* im Sinn behält, die meinen Zwecken am besten dienen«, bis hin zur reifen Abhandlung »The Analysis of Beauty«, beschreibt Hogarth Kunst eher in Begriffen der Linie als der Form oder der Farbe.

Während seiner kurzen Lehrzeit entwickelte Hogarth ein besonderes System der visuellen Mnemotechnik, das darin bestand, das Leben viel mehr zu beobachten, als zu zeichnen, und mit dessen Hilfe er lernte, das Wesentliche seiner Objekte zu erfassen. Später behauptete er, als Künstler sei er größtenteils Autodidakt gewesen. Das mag bis auf wenige Punkte stimmen. Doch 1720 schrieb er sich an einer Akademie in der St. Martins Lane ein, die von den Künstlern Cheron und Vanderbank geführt wurde – eine Tatsache, die er in seiner Autobiographie ausgelassen hat. Wichtiger als die Ausbildung, die er dort erhielt, war für ihn der Eintritt in die Künstlerwelt Londons durch die Akademie. 1724 hatte er Smithfield Market verlassen und war in die St. Martins Lane im Westen Londons umgezogen. In diesem Distrikt blieb er bis zu seinem Lebensende; ab 1733 mietete er ein Haus in Leicester Fields, dem heutigen Leicester Square. Ganz in der Nähe, in Covent Garden, wohnte Sir James Thornhill, dessen Tochter Hogarth 1729 heiratete und der in mancher Hinsicht zu Hogarths Vorbild wurde. Anfang des Jahrhunderts hatte der britische Künstler Thornhill einige bedeutende Aufträge für dekorative Gemälde von ausländischen Besuchern an sich gerissen. Wahrscheinlich war es eher seine Akademie als die Schule von Cheron und Vanderbank, die Hogarth dazu veranlaßte, 1735 seine eigene, freiere und kreativere ebenfalls in der St. Martins Lane zu eröffnen.

Um sich herum konnte Hogarth nun feststellen, daß die britische Malerei nicht mehr wie im 17. Jahrhundert durch das ausländische Künstler bestimmt wurde. Doch nun kam – für ihn neu und gleichsam unerwünscht – die italienische Mode der Architektur, Gemäldesammlungen und Musik auf. Sein erster wichtiger Druck »Der schlechte Geschmack der Stadt oder Opern und Maskeraden« (1724) war eine Satire auf diese Entwicklungen.

Literarische Satiren, wie Samuel Butlers »Hudibras« (ein Gedicht aus dem 17. Jahrhundert, das den hypokritischen Eifer der

Signaturen Hogarths auf Bildern unter Katalog-Nr. 85 und 114 (von links)

Die Visitenkarte des Künstlers, 1720 von ihm selbst radiert

Puritaner verspottet), lieferten Hogarth die Themen für seine nächsten Drucke, deren Produktion es Hogarth ermöglichte, seine Meisterschaft in den Massenszenen zu entwickeln. Zu dieser Zeit malte er zum erstenmal in Öl und produzierte eines der erfolgreichsten und berühmtesten Bilder seiner ganzen Karriere (vgl. Abb. 5) – er konnte mindestens fünf Versionen davon verkaufen (vgl. Abb. 6–10). Es war »The Beggar's Opera«, die eindeutig demonstriert, daß das Theater nun Hogarths Hauptinspirationsquelle geworden ist. »The Beggar's Opera« war eine Posse der italienischen Oper. John Gay hat den Text geschrieben und eine traditionelle Vertonung gewählt, die der in Deutschland geborene Musiker Pepusch arrangierte. Wie in Defoes Novellen sind Handlung und Charaktere aus dem damaligen Leben der englischen Unterschicht gegriffen, wo es am farbigsten ist. Der Held ist ein Straßenräuber, die Betrogenen sind der Gefängniswärter und ein möchtegern-respektabler Hehler, die Opfer ihre beiden naiven Töchter. Für Hogarth war »The Beggar's Opera« vor allem von einem Engländer geschrieben, (hauptsächlich) mit englischer Musik vertont und von englischen Sängern aufgeführt.

Die Qualität der verschiedenen Versionen ist unterschiedlich, aber in der wahrscheinlich besten – im Yale Center for British Art (vgl. Abb. 9) – ist der Raum gut aufgeteilt, die Gruppierung gut angeordnet und die Farbe, wenigstens bei den Hauptfiguren, brillant aufgetragen. Die Handhabung der Plazierungen läßt vermuten, daß Hogarth einen Blick auf Watteaus Arbeiten geworfen hat, die er in der Sammlung von dessen englischem Arzt Dr. Mead gesehen haben kann. Die Farbskala und die Disposition der Figuren sind in dieser Version Watteau ähnlich. In der zeitgenössischen englischen Malerei gab es sicher keine Quelle, die diese Eigenschaften erklären, abgesehen vielleicht von den Konversationsstücken des französischen Malers Philip Mercier, der einige Jahre zuvor nach England gekommen war. Es ist nicht übertrieben zu sagen, daß »The Beggar's Opera« das bemerkenswerteste Themenbild ist, das seit dem Mittelalter von einem britischen Künstler gemalt worden ist.

Dieser Erfolg mag ihn dazu veranlaßt haben, nach Protektion in einer höheren Gesellschaftsschicht zu suchen, als sie sonst mit ihm assoziiert wird. Am besten geben seine eigenen Worte aus der Autobiographie wieder, was geschehen war.

»Als ich verheiratet (1729) und Porträtmaler in kleinen Konversationsstücken geworden war, kam der große Erfolg.« Konversationsstücke, die Mercier in England eingeführt hatte, waren Gruppenporträts, meistens von Familien, auf denen die Figuren ca. 25–30 cm hoch sind. Die Modelle werden in gegenseitiger Unterhaltung gezeigt – daher der Name – und können entweder im Freien oder im Haus dargestellt sein, in beiden Fällen fast ausnahmslos auf ihrem eigenen Besitz. Die Zurschaustellung von Besitz und Reichtum ist ein wesentliches Merkmal dieser Arbeiten, wobei sie meist schnell und billig herzustellen waren.

Um ihn wieder zu zitieren: »Doch diese Art von Malerei zu machen (d. h. Konversationsstücke), war nicht ausreichend bezahlt, um alles zu haben, was meine Familie braucht. Deshalb empfehle ich all denen, die deswegen zu mir kommen, andere Maler, und wende meine Gedanken an eine noch neuere Art des Vorgehens, Bilder von Gesichtern und Radierungen von modernen moralischen Themen, ein Feld, das in jedem Land und in jedem Zeitalter noch unbearbeitet ist.« Dies ist in mancher Hinsicht eine über-vereinfachte Erklärung, denn er bezieht sich auf die berühmten Serien der Bildergeschichten, mit denen Hogarth sich von da an die nächsten zwanzig Jahre seines Lebens beschäftigte. Die erste Serie war »Lebensweg einer Hure« (vgl. Abb. 42–47), die mit dem einzelnen Bild einer Hure begann, die aus ihrem Bett steigt, und die Hogarth dann mit einem ihm eigenen Opportunismus zu einem Zyklus

5

von sechs Bildern ausweitete. Die Bilder selbst sind heute verloren und uns nur durch die Radierungen bekannt, die der Künstler 1732 anfertigte. Beide, Bilder und Radierungen, hatten sofort Erfolg in der Öffentlichkeit – teilweise, weil die Charaktere auf wirklichen Personen beruhten, deren Namen durch Erwähnung in den Zeitungen weit bekannt waren.

Der »Lebensweg einer Hure« ist in seiner Handlung einfacher als die späteren Serien, doch zeigt er die erzählerischen und bildlichen Methoden, die Hogarth bei allen angewandt hat. Wie die Novellen zur Zeit Defoes oder Fieldings, erzählt die Serie die Geschichte der Heldin in einer Folge von mehr oder weniger sensationellen Episoden. Die Hauptdarstellerin beginnt in einem Stadium tollkühner Unschuld, versucht in ihrer Habgier und Torheit ein leichtes, gesellschaftlich anmaßendes und sexuell loses Leben zu führen, wird vom Gesetz aufgegriffen, ins Gefängnis geworfen, zieht sich dort eine unangenehme Krankheit zu und stirbt einen armseligen Tod. Jede Stufe wird als Konsequenz der vorhergehenden gezeigt.

Die späteren Serien variieren in der Ausarbeitung der Geschichte, aber das Thema bleibt grundsätzlich gleich. »Lebensweg eines Wüstlings« (vgl. Abb. 63–70) – 1735 radiert, die erste Serie, deren Gemälde erhalten sind – läßt eine besondere Betonung des Geldes erkennen: Erbschaft desselben, Verschwendung für Kleider, Frauen und

Spiel, Heirat deswegen, Verhaftung und Gefängnis wegen Schulden. In der letzten Szene ist der Wüstling im Irrenhaus eingesperrt. »Hochzeit à la mode« (Abb. 148–153, 1745 radiert) ist die intellektuellste der Serien. Zwei Hauptdarsteller treten auf, deren Geschichte zum Teil getrennt erzählt wird. Auch hier beginnt alles beim Geld: zwischen dem Sohn eines verarmten Adeligen und der Tochter eines reichen Kaufmanns der Mittelschicht wird eine Heirat arrangiert. Auch der Snobismus ist also ein Thema. Die Handlung entfaltet sich in Episoden von Ehebruch, Tod durch ein Duell und Selbstmord. Zweifellos zeigt diese Serie größeres erzählerisches Können und besitzt mehr psychologische Tiefe als die anderen. Die Szenen sind so gemalt, daß sie noch weitere, nicht illustrierte Szenen implizieren. Diese Bilder arbeitete er noch feiner als gewöhnlich und ließ bei französischen Stechern teuer gravieren. (Die Reise nach Paris, wo er geeignete Stecher suchte, war die erste von zwei Auslandsreisen, die er machte. Die zweite, 1748, ging ebenfalls nach Paris.)

Das Mittel, zwei Charaktere darzustellen, deren Geschichten miteinander verwoben sind, nahm Hogarth wieder auf in »Arbeit und Faulheit« (1747), eine Serie, die er nur radierte. Die Geschichte erzählt von zwei Lehrlingen. Der eine ist fleißig, heiratet die Tochter des Meisters und wird vielleicht Oberbürgermeister von London. Der andere, faule wird zur See geschickt, bestiehlt seine Mutter und endet schließlich am Galgen von Tyburn. Noch roher und brutaler in ihrer Direktheit ist die zuletzt radierte Serie »Die vier Stufen der Grausamkeit« (1751).

Nur die reine Vitalität des Künstlers und die Übertreibung und Erfindungsgabe, die er hier entfaltet, bewahrt die Bilder – außer vielleicht den letzten beiden – davor, nur schäbig zu sein. Zusätzlich zu den Hauptcharakteren führt Hogarth eine Reihe von unterstützenden Figuren ein: ränkevolle Anwälte, korrupte Ärzte, zimperliche Musiker und verderbte, zänkische Frauen, die alle ihre eigene Gestik und ihren eigenen Gesichtsausdruck erhielten. Die Kompositionen sind vollgestopft mit leblosen Dingen, die mit der Geschichte symbolisch in Beziehung stehen. Menschen werden gezeigt, die sich rücksichtslos, ja oft bösartig benehmen, doch Hogarth verdammt ihr Verhalten nicht, sondern macht sie zu einer Unterhaltung für das Publikum, indem er sie in konzentrierter Form präsentiert und sie gleichzeitig als absurd darstellt. Durch Hogarth erreicht die Komödie den Rand des Horrors, doch es bleibt noch genug Leid, um den Zuschauer durch das, was er sieht, zu bewegen. Ohne die Komödie wären seine Bilder bloße Melodramen, ohne das Leid wären sie herzlos.

Daß die Übertreibung (seiner Meinung nach) in der Karikatur plötzlich aufhört, qualifizierte Hogarth dazu, mit einem Komödienschreiber verglichen zu werden. Obwohl seine Erzähltechnik an die Novelle erinnert, stand seine Darstellungsmethode, wie er selber sagte, dem Theater näher: »Mein Bild war meine Bühne, und die Männer und Frauen waren meine Schauspieler, die mit Hilfe von bestimmten Aktionen und Gesichtsausdrücken eine stumme Vorstellung geben sollten.« Vielen Dramatikern gleich fand er, daß Schlechtigkeit und Torheit ein viel besserer Theaterstoff war als einfache Tugend. Als er versuchte, ein »anständiges« Gegenstück zu »Hochzeit à la mode« zu malen – eine fragmentarische Serie, die heute »Glückliche Hochzeit« genannt wird – erwies sich diese als unmöglich geziert, und Hogarth ließ sie unvollendet liegen.

Die erzählenden Serien, die Lebenswege, zeigen Hogarths Kunst auf ihrem Höhepunkt. Aber er hat auch viele Bilder in ähnlichem Stil mit ähnlichen Themen gemalt, die für sich selbst dastehen oder aber Gruppen bilden, ohne die Geschichte eines oder zweier besonderer Charaktere zu erzählen. Einige von ihnen – »Die vier Tageszeiten« (vgl. Abb. 90–93) und die »Wahl« (vgl. Abb. 184–187) – zeigen ihn am subtilsten und vollständigsten. Es fällt auf, daß Hogarths vom technischen Aspekt her gesehen feinste Bilder aus den letzten zehn Jahren seines Lebens stammen. Es scheint, daß er in den Jahren von 1747 bis 1753, als er sich besonders auf die Radierungen konzentrierte und auf »The Analysis of Beauty« (siehe unten), das Malen fast oder ganz aufgegeben hatte,

Teil eines Zyklus von 12 Blättern, 1747 von Hogarth radiert, der die Wechselwirkungen zum Thema hat, die das Leben eines Mannes bestimmen – Arbeit und Faulheit

und als er wieder anfing, hatte er eine neue Zuversicht und neue Bereitschaft gewonnen, auch gefällig zu malen. Vielleicht hat er die Unterbrechung genutzt, um von jüngeren, technisch geschickteren Künstlern wie Allen Ramsey zu lernen; oder er hat die holländischen Bilder des 17. Jahrhunderts studiert. Wie auch immer, die vier »Wahl«-Bilder zeigen eine Beherrschung der Komposition, eine Vielseitigkeit in der Handhabung der Massenszenen, eine Feinfühligkeit des Lichtes und der Atmosphäre im Freien, die in Hogarths Werk unübertroffen bleiben. »David Garrick und seine Frau« (vgl. Abb. 196) und »Der letzte Einsatz der Lady« (vgl. Abb. 20) sind beherrschte, delikat witzige Bilder, die fast neben einem Boucher oder einem Chardin bestehen können; und das »Krabbenmädchen« (vgl. Abb. 181), ein entspanntes, intimes, unsatirisches, großes Ölbild, ist atemberaubend. Wüßten wir nicht, daß Hogarth 1760 einen weiteren Anfall von Melancholie und Bitterkeit erlitt, der ihn noch kriegerischer machte als in den Jahren zuvor, könnten wir ihn verdächtigen, weich zu werden.

Neben seiner »gemalten Moral« gibt es noch zwei weitere Aspekte in Hogarths Arbeit, die auch in einem so kurzen Aufsatz wie diesem erwähnt werden müssen: die lebensnahen Einzelporträts und seine Arbeit als Kunsttheoretiker und als Vorkämpfer in seinem Beruf. Wie fast alle englischen Künstler des 18. Jahrhunderts mußte auch Hogarth einiges von seiner Zeit und Energie für das Porträtmalen aufwenden – damals, wie in den 200 Jahren davor, der einzige Weg, den Lebensunterhalt zu verdienen. Hogarth selbst hatte zu diesem Thema scharfe Worte: »Dort (d. h. in England) herrscht natürlich wie in Holland die Selbstlosigkeit vor der Eitelkeit. Deswegen war das Porträtmalen immer erfolgreicher als in jedem anderen erdenklichen Land und wird es bleiben, und wo ist es höher entwickelt worden? Die Nachfrage wird solange konstant bleiben, wie Gesichter entstehen...« Hogarth Schimpfwort für die ständigen Porträtmaler war »Visagenmacher«.

Doch in den Jahren zwischen 1738 und 1745 malte er selbst eine beachtliche Anzahl Porträts. Er war tatsächlich der beste Porträtist Englands, wenn auch nicht der vielseitigste. Alle Modelle, ob männlich oder weiblich, neigen zur Plumpheit, sind rundgesichtig und stieläugig und haben gebogene Augenbrau-

en, was sie mehr oder weniger alle gleich aussehen läßt und ihnen eine merkwürdige Alterslosigkeit verleiht. Es ist unbestritten, daß seine Porträts nicht schmeicheln. Ohne die Höflichkeit der Porträts aus der Kneller-Tradition, die zu Hogarths Zeit noch Einfluß hatte, sind sie rund und solide wie eine Skulptur, und es ist wohl kein Zufall, daß sie den ersten Arbeiten des französischen Bildhauers Roubiliac in London ähneln, wie zum Beispiel der Statue von Georg Friedrich Händel (1738). Unter Hogarth Modellen befanden sich: George Arnold, ein selbst hochgekommener Kaufmann und Bildersammler; die Schauspielerin Lavinia Fenton, die die Polly Peachum in »The Beggar's Opera« spielte und später zur Herzogin von Bolton wurde; Benjamin Hoadly, der Bischof von Wichester, und Thomas Herring, der Erzbischof von Canterbury. Hogarth malte auch ein denkwürdiges »Selbstbildnis« (vgl. Abb. 164), dargestellt auf einer ovalen Leinwand wie in »Bild auf einem Bild«, mit seinem Mops Trump, einem Stapel Bücher und seiner Palette, auf die seine wichtigste theoretische Idee geschrieben ist, die »Line of Beauty«.

»Captain Thomas Coram« (vgl. Abb. 114) ist sicher Hogarths Meisterstück als Porträtist, mit dem er bewußt versuchte, den flämischen Meister des 17. Jahrhunderts, van Dyck, herauszufordern. »Captain Coram« war für England eine neue Art von Porträt und blieb dort auch einzigartig. Auf einer Radierung nach Rigauds »Samuel Bernard« basierend, bildet es ein authentisches Mittelschichtporträt auf der Stufe des Staatsporträts. Coram trägt einen ungeheuer langen, roten Mantel (keine Staatsrobe), und sein eigenes Haar, keine Perücke. Er sitzt auf einem Stuhl auf einer erhöhten Plattform, die traditionelle Barocksäule und der Vorhang im Hintergrund, mit einem Globus zu seinen Füßen, der die Quelle seines Reichtums – den Atlantikhandel – symbolisiert. In der Ferne erscheint eine Schiffsflotte und in seiner Rechten hält er das Siegel der Urkunde von seiner großen wohltätigen Schöpfung, das Findelhaus für Waisenkinder. In sein Gesicht sind die Eigenschaften »Heiterkeit, Offenheit, Wärme, Zuneigung und große Einfachheit der Manieren« gemalt, die ihm ein Zeitgenosse als charakteristisch bescheinigt hat.

Die Erwähnung Corams (ein enger Freund des Künstlers) und des Findelhauses bildet

ANALYSIS of T. BEAUTY. Plate I.

Eine der großen Radierungen zur Illustration von »The Analysis of Beauty«, der 1753 erschienenen Abhandlung, in der Hogarth seine eigene ästhetische Theorie darstellt

einen guten Übergang zu den Aktivitäten Hogarths als Vorkämpfer für seinen Beruf und als Kunsttheoretiker. Empört über den Mangel an für britische Künstler schwer erreichbaren Möglichkeiten und besessen von der Wut über die Bevorzugung der ausländischen Alten Meister durch die potentiellen Förderer kam Hogarth auf den Gedanken, eines der Büros im Findelhaus zu einer Galerie der zeitgenössischen englischen Kunst zu machen. Er schenkte dem Hospital das Coramporträt und malte ganz speziell dafür ein historisches Bild mit einem passenden Thema »Mose wird vor die Tochter des Pharao gebracht« (vgl. Abb. 174). Außerdem überredete er drei seiner Künstlerfreunde, es ebenso zu tun. So wurden einige Landschaften, darunter eine von dem jungen Gainsborough und zwei von Richard Wilson, eben-

falls verschenkt und bald wurde das Krankenhaus zu einem Treffpunkt von modernen Leuten, die kamen, um die Bilder anzuschauen. Das Hospital profitiert von ihren Spenden, und die Künstler gewannen eine nützliche Öffentlichkeit, wenn nicht sogar neue Förderer.

Schon früher, im Jahre 1735, hatte Hogarth eine andere Schlacht für seinen Beruf geschlagen, als er das Parlament überredete, ein Copyright-Gesetz zum Schutz der Radierungen zu verabschieden. Im selben Jahr wurde, wie schon erwähnt, die Akademie in der St. Martins Lane gegründet. Zwanzig Jahre lang leitete er sie nach einem demokratischen Prinzip. Er lehnte eine geschriebene Verfassung, bezahlte Professoren oder Königliche Gönnerschaft ab. Die Nachteile dessen zeigten sich, als die Königliche Akademie, die all diese Dinge einführte, 1768 gegründet wurde. Dennoch war die Akademie in der St. Martins Lane unter der Leitung Hogarths zweifellos ein Erfolg in ihrer Zeit und irgendwie ein lebendigeres Zentrum künstlerischer Kreativität als die Königliche

Akademie selbst. Wie alle Kunstakademien war sie primär ein Ort, an dem Künstler und Studenten sich zu regelmäßigen Zeiten versammelten, um entweder nach der Natur oder nach Güssen der klassischen Skulpturen und denen der Renaissance zu zeichnen. Die existierenden, fragmentarischen Berichte geben den Eindruck, daß die Diskussionen über die Ästhetik unbehindert und weitreichend waren. Was war für einen Künstler wichtiger: der Natur zu folgen oder den Kunstwerken der Vergangenheit? Welche »Wirkung hat die Natur auf das Auge«? Wie sollte die Wahrnehmung dieser Wirkungen in Kunst umgesetzt werden? War das Kopieren von Gemälden eine Hilfe oder eine Behinderung für die Entwicklung der künstlerischen Fähigkeiten? (Hogarth glaubte, daß es eine Behinderung sei, da es nur die mechanischen Fertigkeiten ausbildete und die künstlerische Imagination nicht stimulierte.) Diese Themen wurden in der St. Martins Lane Akademie debattiert, und Hogarth behandelte sie unter anderem auch in seiner Abhandlung »The Analysis of Beauty«, die 1753 erschien.

Die »Analysis« ist nicht leicht zu lesen. Sie ist widerspenstig und wiederholt sich, und viele Schlüsse sind nicht überzeugend, aber sie war wichtig, weil sie Fragestellungen eröffnete und die Forderung nach akademischen Lehrsätzen aufstellte. Ihre Hauptthese ist, daß die Regeln der Kunst in der Natur gefunden werden müssen und nicht in abstrakten Theorien der harmonischen Proportionierung oder bei den künstlerischen Präzedenzfällen, die die Alten Meister der Vergangenheit festgelegt haben. Dennoch *gibt* es Regeln, die die Natur ist keine rudimentäre Masse, und diese Regeln können abgeleitet werden. So kann man durch die Erfahrung herausfinden, argumentiert Hogarth, daß die elegantesten Formen diejenigen sind, die einer verlagerten S-Kurve folgen, während die Formen, die zu winkelig oder zu rund gezeichnet sind, eher komisch und grotesk wirken. Die verlängerte S-Kurve, die »Line of Beauty« (bei drei Dimensionen die »Line of Grace«), ist ganz besonders natürlich, indem sie sich ständig verändert und so die Vielseitigkeit der Natur wiederspiegelt; zugleich befriedigt sie das Auge, das sich erfreut auf eine »übermütige Art der Jagd« führen läßt. Die Tatsache, daß die am meisten bewunderten klassischen Skulpturen, wie der »Apollo von Belvedere« und die »Venus« der Medici, nach der S-Kurve gemacht wurden, ist ein Bonus und zeigt nur, daß die antiken Griechen das Schönheitsprinzip der Natur entdeckt hatten und nicht, wie allgemein angenommen, die Natur nach ihren eigenen vorgefaßten Regeln idealisierten.

Hogarths Annäherung ist durch und durch empirisch, was für die Gedankenwelt Englands im 18. Jahrhundert charakteristisch ist. Was er nicht realisierte, und vielleicht auch nicht realisieren konnte, ist, daß die S-Kurve die typische Form der führenden Stilrichtung dieser Periode, des Rokoko, war, und man kann nicht umhin zu vermuten, daß Hogarth bei seiner Ableitung der Kurve durch seine eigenen Naturbeobachtungen unbewußt beeinflußt war und sie aus der zeitgenössischen Malerei herauslas, hauptsächlich aus der damaligen französischen Malerei. Als stilistisches *Motiv* war die S-Kurve nur begrenzt verwendbar, also kein universelles Prinzip, wie Hogarth dachte.

Als Hogarth 1764 starb, war schon eine neue Generation britischer Maler am Ruder, die von Joshua Reynolds angeführt wurde. Für diese war das Wort Eleganz die Parole. In seinen Vorträgen vor der Königlichen Akademie äußert sich Reynolds sehr verächtlich über Hogarth, und sein Urteil, Hogarths Kunst sei vulgär, ist nie ganz vergessen worden. Doch im 18. Jahrhundert begann eine Hogarth-»Renaissance«, und Anfang des 19. Jahrhunderts, als Lamb und Hazlitt schrieben, gelangte Hogarths Ruhm zu seinem Höhepunkt. Die Kenntnis von Hogarth hat sich auch im Ausland verbreitet, und er war, zum Teil Dank seiner Drucke, der bekannteste britische Künstler auf dem europäischen Kontinent. Sogar die Prä-Raphaeliten waren durch ihn beeinflußt, und seine viktorianische Reinkarnation fand er in »Derby Day« von Frith. Hogarth war der erste Maler, der seine Geschichten erfand und sie als Bilder malte, und die verbreitete Bemerkung, »jedes Bild erzählt eine Geschichte«, ist ein unbewußter Tribut an ihn.

Werkverzeichnis

Die schlafende Gemeinde (vgl. Abb. 11)
Eines von Hogarths ersten Bildern mit einer offen satirischen Absicht. Das Stundenglas läßt erkennen, daß der Geistliche erst bis zur Hälfte seiner Predigt vorgedrungen ist, doch jedermann (auch der Kirchendiener) ist eingeschlafen.

1725–1731

Vorhandene Gemälde und Graphiken nach verlorengegangenen Bildern

1. **Schild für einen Pflaste-
rer.** Um 1725. Öl auf Holz.
55,8 × 55,8 cm. New Haven
(Connecticut), Yale Center
for British Art, Sammlung
Paul Mellon

2. **Schild für einen Pflaste-
rer.** Um 1725. 1799 radiert
von Jane Ireland (Abb. 2 a),
vermutlich nach einem verlorengegangenen Gemälde

3. **Der Arztbesuch.** Um
1725. Öl auf Leinwand.
74,2 × 62,2 cm. London, Tate
Gallery

4. **Falstaff examiniert seine
Rekruten (Heinrich IV., Teil
II).** Um 1728. Öl auf Leinwand. 49,5 × 58,5 cm. London, Sammlung Lord Iveagh
The Beggar's Opera. (Abb.
5–10). Sechs Versionen desselben Themas

5. **The Beggar's Opera – I.**
Signiert und datiert 1728. Öl
auf Leinwand.
45,7 × 53,3 cm. Farmington
(Connecticut), Sammlung W.
S. Lewis der Ältere

6. **The Beggar's Opera – II.**
Signiert und datiert 1728. Öl
auf Leinwand.
50,8 × 50,8 cm. Sammlung
The Hon. Lady Anstruther-
Gough-Calthorpe

7. **The Beggar's Opera – III.**
Signiert und datiert 1728. Öl
auf Leinwand. 48,5 × 52 cm.
Sammlung Lord Astor

8. **The Beggar's Opera – IV.**
Um 1728. Öl auf Leinwand.
48,3 × 57,2 cm. Washington,
D. C., National Gallery of
Art

9. **The Beggar's Opera – V.**
Signiert und datiert 1729. Öl
auf Leinwand.
60,3 × 73,4 cm. New Haven
(Connecticut), Yale Center
for British Art, Sammlung
Paul Mellon

10. **The Beggar's Opera –**

1

2a

3

4

VI. 1729–31. Öl auf Leinwand. 57,1 × 75,9 cm. London, Tate Gallery

11. Die schlafende Gemeinde. Um 1728/29 (datiert 1728). Öl auf Leinwand. 53,3 × 44,5 cm. Minneapolis Institute of Arts

12. Ein Ausschuß des House of Commons. 1728/29. Öl auf Papier. 47 × 59,7 cm. Cambridge, Fitzwilliam Museum. Studie

13. Ein Ausschuß des House of Commons (Das Gaols Komitee). 1729. Öl auf Leinwand. 51,2 × 68,6 cm. London, National Portrait Gallery

14. Die Denunziation oder Eine Frau verflucht das Kind eines gewichtigen Bürgers. Um 1729. Öl auf Leinwand. 50,2 × 66 cm. Dublin, National Gallery of Ireland

15. Die Taufe. Um 1729. Öl auf Leinwand. 33 × 24 cm. London, British Museum. Studie

16. Die Taufe. Um 1729. Öl auf Leinwand. 49,5 × 62,9 cm. Privatsammlung

17. Captain Woodes Rogers und seine Familie. Signiert und datiert 1729. Öl auf Leinwand. 42 × 55,8 cm. London (Greenwich), National Maritime Museum

The Beggar's opera (vgl. Abb. 10)
Eine Szene aus John Gays berühmter Komischen Oper, in der Lucy Lockit und Polly Peachum ihre Väter – den Kerkermeister und den Denunzianten – um die Freilassung des Straßenräubers Macheath bitten, dem dann beide zärtlich einen Heiratsantrag machen.

15

1729–1730

18. Streitgespräche über die Handlesekunst. Um 1729. Öl auf Leinwand. 61 × 73,6 cm. Privatsammlung

19. Die Hochzeit von Stephen Beckingham und Mary Cox. 1729/30. Signiert und mit dem Hochzeitsdatum 1729 versehen. Öl auf Leinwand. 128,2 × 102,8 cm. New York, Metropolitan Museum of Art

20. Eine Auktion. Um 1730. Öl auf Leinwand. 48,2 × 75 cm. Sammlung H. M. C. Jones-Mortimer

21. Lesender Mann. Um 1730. 1775 radiert von John Keyse Sherwin (Abb. 21a), vermutlich nach einem verlorengegangenen Gemälde

17

18

19

21a

20

Die Hochzeit von Stephen Beckingham und Mary Cox (Ausschnitt, vgl. Abb. 19) Ende der zwanziger Jahre versuchte Hogarth bewußt, die Klientel der Oberschicht zu gewinnen. Diese formale Hochzeitsgruppe ist in konventionell modischerem Stil gemalt, als er gewöhnlich mit Hogarth assoziiert wird.

1730

22. Das Kartenhaus. Signiert und datiert 1730. Öl auf Leinwand. 63,5 × 76,2 cm. Privatsammlung

23. Ein Kinderfest. Signiert und datiert 1730. Öl auf Leinwand. 63,5 × 76,2 cm. Privatsammlung

24. Dudley Woodbridge und Captain Holland. Signiert und datiert 1730. Öl auf Leinwand. 42 × 55 cm. New York, Sammlung Marshall Field

25. Die Familien Popple und Ashley. Signiert und datiert 1730. Öl auf Leinwand. 62,9 × 74,9 cm. Sammlung I. M. Königin Elisabeth II. von England

22

23

24

Eine Versammlung im Wanstead House (Ausschnitt, vgl. Abb. 34)
Der Ausschnitt zeigt Richard Child, Viscount Castlemaine, seine Frau und seine älteste Tochter auf einem von Hogarths ehrgeizigsten Gruppenporträts, das die Familie und ihre Freunde in einem kostbaren Interieur wiedergibt. Durch den Erfolg dieser Gruppenbilder erhielt Hogarth Anfang der dreißiger Jahre eine beachtliche Reputation.

25

Die Familie Fountaine (vgl. Abb. 48)
Sir Andrew Fountaine, ein führender Kenner seiner Zeit, betrachtet gerade ein Bild, das auf seinen Namen anspielt. Diese Art des eleganten Konversationsstückes im Freien wurde durch Werke von Watteau und Lancret angeregt, die Hogarth offen bewunderte.

Um 1730–1731

26. Die Familie Jeffrey. Signiert und datiert 1730 (?). Öl auf Leinwand. 72 × 91 cm. Wash., D. C., Nat. Gal.

27. Die Familie Rawson. Um 1730. Öl auf Leinwand. 81 × 77 cm. Privatsammlung

28. Der zerbrochene Fächer. Um 1730. Öl auf Leinwand. 68,5 × 68,5 cm. Privatslg.

29. Eine Angelpartie. Um 1730. Öl auf Leinwand. 54,3 × 46 cm. London, Dulwich College Picture Gallery

30. Gartenszene in Cowley oder Die Familie Cock. 1728–31. Öl auf Leinwand. 46,3 × 57,8 cm. Versteigert 1973 London

31. Die Familie Jones. Um 1730/31. Öl auf Leinwand. 64,8 × 68,6 cm. Glamorgan, Fonmon Castle, Sammlung Sir Hugo Boothby

32. Die Familie Pascall. Um 1730/31. Öl auf Leinwand. 59,7 × 53,3 cm. Privatslg.

33. Die Familie Wollaston. 1730/31. Öl auf Leinwand. 99 × 124,5 cm. Leicester, Museum and Art Gallery, eine Leihgabe der Trustees of the late H. C. Wollaston

34. Eine Versammlung im Wanstead House. 1730/31. Öl auf Leinwand. 63,5 × 76,2 cm Philadelphia Museum of Art (John Howard McFadden Memorial Collection)

35. Club der Gentlemen. 1730/31. Öl auf Leinwand. 47,5 × 58,5 cm. New Haven (Connecticut), Yale Center for British Art, Sammlung Paul Mellon

36. Diebstahl einer Uhr. Um 1730/31. Öl auf Leinwand. 33,4 × 31,1 cm. Oxford, Ashmolean Museum

37. Moderne Konversation um Mitternacht. Signiert, um 1730/31. Öl auf Leinwand. 76 × 164 cm. New Haven (Connecticut), Yale Center for British Art, Sammlung Paul Mellon

26

27

28

29

30

31

32

33

34

35

36

37

Szene aus Drydens »Kaiser der Indianer oder Die Eroberung Mexikos« (vgl. Abb. 56) Drydens Stück wurde im April 1732 von Kindern aufgeführt vor einem Publikum, unter dem der Herzog von Cumberland mit seinen Schwestern, den Prinzessinnen Mary und Louisa, weilte. Das Bild vereinigt zwei frühe Interessen Hogarths. Es ist zugleich ein Theaterbild und ein Konversationsstück.

38. Vorher. 1730/31. Öl auf Leinwand. 35,5 × 44,5 cm. Cambridge, Fitzwilliam Museum. Pendant zu Abb. 39

39. Nachher. 1730/31. Öl auf Leinwand. 33,5 × 44,5 cm. Cambridge, Fitzwilliam Museum. Pendant zu Abb. 38

40. Vorher. 1730/31. Öl auf Leinwand. 38,7 × 33,6 cm. Malibu (Kalifornien), Paul Getty Museum. Pendant zu Abb. 41

41. Nachher. 1730/31. Öl auf Leinwand. 38,7 × 33,6 cm. Malibu (Kalifornien), Paul Getty Museum. Pendant zu Abb. 40

Lebensweg einer Dirne. (Vgl. Abb. 42–47) Gemalt um 1730/31, radiert 1732, Alderman Beckford kaufte die Serie 1745; sie wurde 1755 durch ein Feuer in Fonthill zerstört.

42a. Umgarnt von einer Kupplerin. Radierung. 28,4 × 37,8 cm

43a. Streit mit ihrem Judenprotektor. Radierung. 30 × 37 cm

44a. Verhaftet durch einen Beamten. Radierung. 28,4 × 37,8 cm

45a. Szene in der Besserungsanstalt. Radierung. 30 × 38 cm

46a. Stirbt, während die Ärzte disputieren. Radierung. 30,5 × 37,5 cm

47a. Das Begräbnis. Radierung. 28,4 × 37,8 cm

48. Die Familie Fountaine. Um 1730–32. Öl auf Leinwand. 47 × 59,7 cm. Philadelphia Museum of Art (John Howard McFadden Memorial Collection)

49. Szene aus Shakespeares ›Sturm‹. Um 1730–32. Öl auf Leinwand. 80 × 101,6 cm. Wakefield, Nostell Priory, Sammlung Lord St. Oswald

38

39

40

41

42a

45a

43a

46a

44a

47a

48

49

Lebensweg eines Wüstlings: Der junge Erbe übernimmt seinen Besitz (vgl. Abb. 63) Gleich nach dem Tode seines Vaters verschwendet Tom Rakewell sein Geld freigiebig – ein Schneider nimmt Maß für eine Kollektion modischer Kleider. Das von ihm verführte Mädchen, Sarah Young, hat er verstoßen. Unterdessen nutzt sein Anwalt die Gelegenheit, ihn zu bestehlen.

50. Monamy zeigt Mr. Walker ein Gemälde. Um 1730–32. Öl auf Leinwand. 60,5 × 51 cm. Sammlung The Earl of Derby. Das Seestück auf der Staffelei stammt von Monamy selbst

51. Die Familie Colley-Wesley. Signiert und datiert 1731. Öl auf Leinwand. 61 × 73,7 cm. Berkshire, Stratfield Saye House, Sammlung The Duke of Wellington

52. Ashley Cowper mit Frau und Tochter. Signiert und datiert 1731. Öl auf Leinwand. 53,5 × 59,5 cm. London, Tate Gallery

53. Musikalische Gesellschaft oder Die Familie Mathias. Um 1731. Öl auf Leinwand. 61 × 74 cm. Cambridge, Fitzwilliam Museum

54. Sir Robert Pye. Um 1731. Öl auf Leinwand. 42,9 × 33,7 cm. London (Blackheath), Ranger's House, Sammlung Suffolk

Lebensweg eines Wüstlings: Szene in der Taverne (Ausschnitt, vgl. Abb. 65)
In seiner Selbstzerstörung weiter fortgeschritten, befindet Rakewell sich in der verrufenen Rosen Taverne, die für ihre ›liederlich lüsternen Vergnügungen‹ weit bekannt ist. Hauptattraktion wird das Mädchen sein, wenn es sich erst einmal ausgezogen hat.

50

54

51

52

53

1731–1732

55. Die Familie Vane. 1731.
Öl auf Leinwand.
61 × 73,7 cm. Penrith, Sammlung Lord Inglewood
**56. Szene aus Drydens ›Kai-
ser der Indianer oder Die Eroberung Mexikos‹.** 1731/32.
Öl auf Leinwand.
130,8 × 146,5 cm. Sammlung
Lady Teresa Agnew
**57. H. R. H. William Augu-
stus, Herzog von Cumber-
land.** Um 1732. Öl auf Leinwand. 44,5 × 34,3 cm. New
Haven (Connecticut), Yale
Center for British Art,
Sammlung Paul Mellon
**58. Die Familie Cholmonde-
ley.** Signiert und datiert
1732. Öl auf Leinwand.
71 × 91 cm. Sammlung The
Marquess of Cholmondeley

*Lebensweg eines Wüstlings:
Heirat mit einer alten Jungfer*
(Ausschnitt, vgl. Abb. 67)
Das Vermögen ist ausgege-
ben, und wir sehen nun, wie
er eine reiche, alte, häßliche
Jungfer heiratet. Toms un-
verhohlene Abwehr und ihre
ebenso offensichtliche Begei-
sterung bilden einen spre-
chenden Kontrast.

55

57

56

58

59. Die Königliche Familie (I). 1732/33. Öl auf Leinwand. 63,5 × 76,2 cm. Sammlung I. M. Elisabeth II., Königin von England. Pendant zu Abb. 60

60. Die Königliche Familie (II). 1732/33. Öl auf Leinwand. 36,8 × 39 cm. Dublin, National Gallery of Ireland. Pendant zu Abb. 59

61. Sir James Thornhill. Um 1732/33. 1794 radiert von Samuel Ireland (Abb. 61 a), vermutlich nach einem verlorengegangenen Porträt

62. Der Heiratsvertrag. Um 1732. Öl auf Leinwand. 61,5 × 74,5 cm. Oxford, Ashmolean Museum. Studie zu ›Entwicklung eines Wüstlings‹

59

60

61a

62

Lebensweg eines Wüstlings: Gefängnisszene (Ausschnitt, vgl. Abb. 69)
Das zweite Vermögen ist verspielt. Während er wegen Diebstahls im Gefängnis sitzt, wird er von Sarah Young und ihrem Kind besucht. Diese fällt vor Schreck in Ohnmacht, als sie Toms hoffnungslosen Zustand sieht.

Lebensweg eines Wüstlings:
Szene in der Irrenanstalt (vgl.
Abb. 70)
Verrückt, fast nackt und an
den Boden gekettet wird
Tom von der treuen Sarah bis
zum Ende getröstet. Im Hin-
tergrund amüsieren sich zwei
Damen, die an Watteau erin-
nern, an diesem peinigenden
Schauspiel.

Um 1732–1735

Lebensweg eines Wüstlings.
(Abb. 63–70) Um 1732–35
63. Der junge Erbe übernimmt seinen Besitz. Öl auf
Leinwand. 62,2 × 75 cm.
London, Sir John Soane's
Museum
64. Von Künstlern und Gelehrten umgeben. Öl auf
Leinwand. 62,2 × 75 cm.
London, Sir John Soane's
Museum
65. Szene in der Taverne. Öl
auf Leinwand. 62,2 × 75 cm.
London, Sir John Soane's
Museum
66. Verhaftet wegen Diebstahls. Öl auf Leinwand.
62,2 × 75 cm. London, Sir
John Soane's Museum

Sarah Malcolm im Gefängnis
(Ausschnitt, vgl. Abb. 72)
Hogarth skizzierte das irische
Dienstmädchen Sarah Malcolm, das wegen dreier besonders schrecklicher Morde
verurteilt worden war, im
Gefängnis, zwei Tage bevor
es gehängt wurde. Die Sachlichkeit des Porträts genügte
ihm als Warnung: »In den
Zügen dieser Frau sehe ich
die Fähigkeit zu jeder Bosheit.«

63

64

65

66

Der gepeinigte Poet (vgl.
Abb. 85)
Der Poet scheitert, weil er
sich mit der Realität des Lebens nicht aussöhnen kann.
Versunken in seine Gedan-
ken, das unbezahlte Milch-
mädchen, den diebischen
Hund, das schreiende Baby
nicht beachtend, verfolgt er
vergeblich seinen Traum,
Reichtümer durch die Litera-
tur zu erwerben.

1732–1735

67. Heirat mit einer alten Jungfer. Öl auf Leinwand. 62,2 × 75 cm. London, Sir John Soane's Museum

68. Szene in einem Spielkasino. Öl auf Leinwand. 62,2 × 75 cm. London, Sir John Soane's Museum

69. Gefängnisszene. Öl auf Leinwand. 62,2 × 75 cm. London, Sir John Soane's Museum

70. Szene in der Irrenanstalt. Öl auf Leinwand. 62,2 × 75 cm. London, Sir John Soane's Museum

71. Daniel Lock. Um 1732–35. Öl auf Leinwand. 91,5 × 70,5 cm. New York, Sammlung David Goodstein

72. Sarah Malcolm im Gefängnis. 1733. Öl auf Leinwand. 47 × 36,8 cm. Edinburgh, National Gallery of Scotland

73. Jahrmarkt in Southwark. Signiert und datiert 1733. Öl auf Leinwand. 120,6 × 151 cm. Privatsammlung

74. Gerard Anne Edwards Hamilton in seiner Wiege. 1733. Öl auf Leinwand. 31,8 × 39,4 cm. The National Trust, Upton House, Sammlung Bearsted

75. Die Familie Edwards Hamilton. 1733/34. Öl auf Leinwand. 66 × 84 cm. Privatsammlung

76. Frederick Frankland. 1733–35. Öl auf Leinwand. 127 × 101,5 cm. Malibu (Kalifornien), Huntington Art Gallery

77. Charles Bridgeman. Um 1733–35. Öl auf Leinwand. Vancouver Art Gallery

67

68

69

70

71

73

72

75

76

77

74

Die Familie Strode (vgl. Abb. 106)
Eines von Hogarths sichersten Konversationsstücken, das die bildliche Annäherung an Hochzeit à la mode vorwegzunehmen scheint. Die beiden sich beäugenden Hunde bilden ein humoristisches Element.

1735–1740

78. Anne Hogarth, die Mutter des Künstlers. 1735. Öl auf Leinwand. 127,5 × 101,6 cm. Privatsammlung

79. Anne Hogarth. Um 1735. Öl auf Leinwand. 46,4 × 40,7 cm. Ohio, Columbus Gallery of Fine Arts

80. Mary Hogarth. Um 1735. Öl auf Leinwand. 46,4 × 40,7 cm. Ohio, Columbus Gallery of Fine Arts

81. Selbstbildnis mit Palette. Um 1735. Öl auf Leinwand. 54,5 × 51 cm. New Haven (Connecticut), Yale Center for British Art, Sammlung Paul Mellon

82. Frances, Lady Byron. 1735. Öl auf Leinwand. 44,5 × 34,5 cm. National Trust

83. Miss Wood mit ihrem Hund. Um 1735. Öl auf Leinwand. 45,7 × 38 cm. New Haven (Connecticut), Yale Center for British Art, Sammlung Paul Mellon

84. Vulkan. Um 1735–40. Öl auf Leinwand. 70 × 92,6 cm. Privatsammlung

Captain Thomas Coram (vgl. Abb. 114)
Hogarths Interpretation des formalen Staatsporträts, auf dem er das normalerweise adelige Modell ersetzt durch den wohltätigen Captain Coram, Händler mit der Neuen Welt und Stifter des Findelhauses.

78

81

79

80

84

82

83

1735–1740

85. Der gepeinigte Poet.
1735/36. Öl auf Leinwand.
63,5×78,5 cm. Birmingham,
City Museum and Art Gallery

86. Thomas Western. 1736.
Öl auf Leinwand. 54×42 cm.
Privatsammlung

87. Eine Familienfeier. Um
1735–38. Öl auf Leinwand.
53,3×75 cm. New Haven
(Connecticut), Yale Center
for British Art, Sammlung
Paul Mellon

**88. Richard Wesley, 1st
Lord Mornington.** 1735–40.
Öl auf Leinwand.
77,5×63,5 cm. Berkshire,
Stratfield Saye House,
Sammlung The Duke of Wellington

89. Satan, Sünde und Tod.
Um 1735–40.
61,9×74,6 cm. London, Tate
Gallery

85

86

88

87

89

Die Grey Kinder (vgl. Abb. 116)
Hogarth (der vermutlich keine eigenen Kinder hatte) erhielt in den
vierziger Jahren mehrere Aufträge für Kinderporträts, die er witzig
charmant aber nicht sentimental gemalt hat. Lady Mary und Lord
George Grey waren die Kinder des vierten Grafen von Stamford.

Die Graham Kinder (vgl.
Abb. 140)
Die Kinder von Daniel Graham, Apotheker im Chelsea Krankenhaus. Hogarth hat in der Figur des Cupido ein zartes allegorisches Element eingeführt. Dieser hält der Uhr, die das Vorübergehen der unschuldigen Kindheit anzudeuten scheint, eine Sense entgegen.

1736–1737

Die vier Tageszeiten. (Vgl. Abb. 90–93)

90. Morgen. Um 1736. Öl auf Leinwand. 75 × 62,2 cm. The National Trust, Upton House, Sammlung Bearsted

91. Mittag. Um 1736. Öl auf Leinwand. 75 × 62,2 cm. Grimsthorpe, Sammlung Earl of Ancaster

92. Abend. Um 1736. Öl auf Leinwand. 75 × 62,2 cm. Grimsthorpe, Sammlung Earl of Ancaster

93. Nacht. Um 1736. Öl auf Leinwand. 75 × 62,2 cm. National Trust, Upton House, Sammlung Bearsted

94. Bei Mondlicht auf der Wiese tanzende Feen. 1736. Öl auf Leinwand. Zwei Fragmente 142,2 × 96,5 cm und 125,7 × 149,8 cm von einem Original, vermutlich 142,2 × 249 cm. Whittingham, Callaly Castle, Sammlung Major A. S. C. Browne

Das Krankenhaus St. Bartholomäus. (Vgl. Abb. 95–97) Die Landschaften im Hintergrund der wichtigsten Bilder wurden George Lambert zugeschrieben. Von Hogarth stammen noch drei kleinere Grisaille-Bilder: »Die Vision des Austin Canon Rahere, Die Gründung des ursprünglichen Hauses«, »Mönche pflegen die Kranken« und ein Medaillon mit dem Kopf des »Galen« im Profil (über der Tür). Die Schnörkel und weiteren Ornamente wurden von einem der Richards auf Hogarths Kosten gemalt.

95. Der Teich von Bethesda. 1735/36. Öl auf Leinwand. 63,5 × 76,2 cm. Manchester, City Art Gallery. Studie

96. Der Teich von Bethesda. 1736. Öl auf Leinwand. 416,5 × 617 cm. London, St. Bartholomew's Hospital

97. Der barmherzige Samariter. 1737. Öl auf Leinwand. 416,5 × 617 cm. London, St.

94

95

98a

99

100

96

97

90

91

92

93

1737

Bartholomew's Hospital
98. Fahrende Schauspieler in einer Scheune. 1737. 1738 radiert von Hogarth (vgl. Abb. 98 a). Das Gemälde wurde 1874 durch ein Feuer in Littleton Park zerstört
99. Frederick, Prince of Wales. Um 1737. Öl auf Leinwand. 76,2 × 50,8 cm. Sammlung I. M. Elisabeth II., Königin von England. Hogarth zugeschrieben
100. Augusta, Princess of Wales. Um 1737. Öl auf Leinwand. 76,2 × 50,8 cm. Sammlung I. M. Elisabeth II., Königin von England. Hogarth zugeschrieben

Hochzeit à la mode: Kurz nach der Hochzeit (vgl. Abb. 149)
Der Vicomte und die Viscomtesse treffen sich am frühen Nachmittag, nachdem sie sich in der Nacht zuvor verschiedenen Vergnügungen gewidmet haben, sie beim Kartenspiel, er im Bordell. Die allgemeine häusliche Unordnung symbolisiert den Schiffbruch der Ehe.

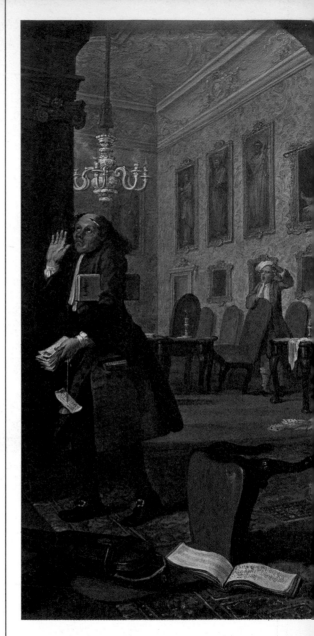

1737–1742

101. Gustavus Hamilton, 2nd Viscount Boyne. 1737–42. Öl auf Leinwand. 50 × 40,5 cm. Privatsammlung

102. Nächtliche Begegnung. 1738. Öl auf Leinwand. 28,6 × 36,8 cm. New Haven (Connecticut), Yale Center for British Art, Sammlung Mellon

103. Dr. John Lloyd. 1738. Öl auf Leinwand. 76 × 63,5 cm. New Haven (Connecticut), Yale Center for British Art, Sammlung Paul Mellon

104. Die Familie Western. Signiert und datiert 1738. Öl auf Leinwand. 71,7 × 83,8 cm. Dublin, National Gallery of Ireland.

105. Dame in weiß (Mrs. Vaughan?). Um 1738. Öl auf Leinwand. 127 × 101,5 cm. National Trust, Ascott, Sammlung Rothschild

106. Die Familie Strode. Um 1738–40. Öl auf Leinwand. 87 × 91,5 cm. London, Tate Gallery

Hochzeit à la mode: Besuch beim Kurpfuscher (Ausschnitt, vgl. Abb. 150) Der Vicomte besucht Dr. Misaubin mit seiner verheulten, kindlichen Mätresse, die sich von ihm eine Geschlechtskrankheit zugezogen hat, um sich über die Wirkungslosigkeit seiner Pillen zu beklagen. Das bösartig schauende Weib, das ein Klappmesser durch die Luft schwenkt, ist vielleicht die Kupplerin, die dem Vicomte Squanderfield das Mädchen vermittelte.

102

105

101   103

104

106

1738–1740

107. Dr. Benjamin Hoadly.
Um 1738. Öl auf Leinwand.
60,7 × 47,9 cm. Cambridge,
Fitzwilliam Museum
108. Benjamin Hoadly, Bischof von Winchester. Um
1738–40. Öl auf Leinwand.
75,5 × 64 cm. San Marino
(Kalifornien), Huntington
Art Gallery
**109. Lord Harvey und seine
Freunde.** 1738/39. Öl auf
Leinwand. 101,5 × 127 cm.
National Trust, Icksworth,
Suffolk
110. Almosen im Keller.
Um 1739. Öl auf Leinwand.
99 × 124,5 cm. Privatsammlung
111. Mrs. Catherine Edwards. 1739. Öl auf Leinwand. 73,7 × 61 cm. Genf,
Musée d'Art et d'Histoire
112. Bildnis eines Mannes.
Signiert und datiert 1739. Öl
auf Leinwand. 73,5 × 61 cm.
Manchester, City Art Gallery

*Hochzeit à la mode: Morgendlicher Empfang der
Comtesse* (Ausschnitt, vgl.
Abb. 151)
Die Comtesse, ihr Mann ist
inzwischen Graf geworden,
hat ein Stelldichein mit dem
Anwalt Silvertongue. Die
Bilder an der Wand betonen
die lüsterne Atmosphäre,
wobei der Negerpage auf die
Hörner einer Aktäon-Figur
deutet, während er einen
Korb mit auf der Auktion ersteigerten Antiquitäten auspackt; eine Anspielung auf
den gerade gehörnten
Grafen.

107   108

109   110

111

112

1740

113. Dame in gelbem Kleid.
1740. Öl auf Leinwand.
76,5×63,5 cm. Gent, Musée des Beaux Arts
114. Captain Thomas Coram. Signiert und datiert 1740. Öl auf Leinwand.
238,6×147,2 cm. London, Thomas Coram Foundation for Children
115. Lavinia Fenton, Herzogin von Bolton. Um 1740. Öl auf Leinwand. 73,7×58,5. London, Tate Gallery
116. Die Grey Kinder. 1740. Öl auf Leinwand.
105,5×89,5 cm. Saint Louis (Missouri), Wash. Univ.
117. Sir Caesar Hawkins.
1740. Öl auf Leinwand.
74,5×61,5 cm. London, Royal College of Surgeons
118. John Herring. Signiert und datiert 1740. Ö. a. Leinw. 73,7×61. Ottawa, National Gallery of Canada
119. Bildnis eines Gentleman (Dr. Benjamin Hoadly?). Um 1740. Öl auf Leinwand. 72×63,5 cm. Sydney, Art Gal. of N. S. Wales
120. Dr. Benjamin Hoadly.
Signiert und datiert 1740.
Ö.a.Leinw. 73,7×61. Dublin, National Gallery of Ireland

Hochzeit à la mode: Ermordung des Grafen (Ausschnitt, vgl. Abb. 152)
Nach einem Maskenball gehen die Comtesse und Silvertongue noch aus, wobei sie vom Grafen entdeckt werden. In dem darauffolgenden Duell wird der Graf tödlich verwundet.

Zu Seite 62/63:
Captain Lord George Graham in seiner Kabine (vgl. Abb. 144)
Eine Kombination aus den Trinkszenen, die Hogarth in den dreißiger Jahren malte, und seinen ruhigeren Konversationsstücken.

113

115

114

116

117

118

119

120

1740–1741

121. Dr. Thomas Pellet.
1740. Öl auf Leinwand.
75,6 × 62,2 cm. London, Tate
Gallery
122. Joseph Porter. Um
1740. Öl auf Leinwand.
90,8 × 70,7 cm. Toledo Museum of Arts
123. Joseph Sabine. Signiert
und datiert 1740. Öl auf
Leinwand. 77 × 65,5 cm. Privatsammlung
124. George Arnold. Um
1740. Öl auf Leinwand.
90,5 × 70,8 cm. Cambridge,
Fitzwilliam Museum
125. Miss Frances Arnold.
Um 1740. Öl auf Leinwand.
90,5 × 70,5 cm. Cambridge,
Fitzwilliam Museum
126. Der wütende Musiker.
1740/41. Öl auf Leinwand.
38 × 47,5 cm. Oxford, Ashmolean Museum
127. Mrs. Desaguiliers.
1741. Öl auf Leinwand.
68,5 cm Durchmesser.
Northamptonshire, Aynhoe
Park, Sammlung R. F. W.
Cartwright
**128. William Cavendish,
4. Herzog von Devonshire.**
Signiert und datiert 1741. Öl
auf Leinwand.
74,3 × 61,5 cm. New Haven
(Connecticut), Yale Center
for British Art, Sammlung
Paul Mellon
129. Martin Folkes. 1741. Öl
auf Leinwand. 73,7 × 61 cm.
London, Royal Society
130. Benjamin Hoadly, Bischof von Winchester.
Signiert und datiert 1741. Öl
auf Leinwand.
125 × 100,3 cm. London,
Tate Gallery
131. Rev. John Hoadly.
Signiert und datiert 1741. Öl
auf Leinwand.
73,7 × 65,5 cm. Northampton
(Massachusetts), Smith College Museum of Art
132. Dr. Edwin Sandys.
Signiert und datiert 1741. Öl
auf Leinwand.

121

122

123

124

125

127

126

 128
 129
 130
 131

 132
 133
 135
 136

 137
 138
 139
 141

140

142

76,2 × 63,5 cm. Bristol, City Museum and Art Gallery

133. Bildnis eines Gentleman. Signiert und datiert 1741. Öl auf Leinwand. 74,5 × 62,5 cm. London, Dulwich College Picture Gallery

134. Sir Charles Kemeys-Tynte. Um 1740–42. Öl auf Leinwand. 124,5 × 100 cm. Privatsammlung

135. Bildnis eines Gentleman. Um 1741/42. Öl auf Leinwand. 75,6 × 62,6 cm. Cambridge, Fitzwilliam Museum

136. James Quin. Um 1740–45. Öl auf Leinwand. 75 × 62,2 cm. London, Tate Gallery

137. Jane Hogarth, die Frau des Künstlers. Um 1742. Öl auf Leinwand. 90,1 × 69,8 cm. Sammlung Lord Rosebery

138. Bildnis einer Dame (genannt Peg Woffington). Signiert, um 1742. Öl auf Leinwand. 76,2 × 63,5 cm. Privatsammlung

139. Mary Edwards. Signiert und datiert 1742. Öl auf Leinwand. 125,7 × 96,2 cm. New York, Sammlung Frick

140. Die Graham Kinder. Signiert und datiert 1742. Öl auf Leinw. 160,5 × 181. London, Tate Gallery

141. Theodore Jacobsen. Signiert und datiert 1742. Öl auf Leinwand. 91,5 × 71 cm. Oberlin (Ohio), Allen Memorial Art Museum

142. Die Mackinnon Kinder. Um 1742. Öl auf Leinwand. 180,3 × 143,5 cm. Dublin, National Gallery of Ireland

143. Kostprobe des High Life oder Kostprobe à la mode. Datiert, 1742. Öl auf Leinwand. 61,6 × 74,3 cm. Privatsammlung

Mrs. Elizabeth Salter (Ausschnitt, vgl. Abb. 158)

143

144

145

146

147

1740–1745

144. Captain Lord George Graham in seiner Kabine. Um 1745. Öl auf Leinwand. 71 × 88,9 cm. London (Greenwich), National Maritime Museum

145. Bildnis einer Frau (Elizabeth Hoadly?). Signiert und datiert 1743. 76,2 × 63,5 cm. Privatsammlung

146. Bildnis eines Mannes (Sir Edward Walpole?). Um 1743. Öl auf Leinwand. 76 × 63,5 cm. Richmond (Virginia), Museum of Fine Arts

147. Kranke Maskerade. Um 1740–43. Öl auf Leinwand. 30 × 37 cm. Oxford, Ashmolean Museum

Hochzeit à la mode. (Abb. 148–153) 1743–45

148. Der Ehevertrag. Öl auf Leinwand. 68,6 × 88,8 cm. London, National Gallery

149. Kurz nach der Hochzeit. Öl auf Leinwand. 68,6 × 88,8 cm. London, National Gallery

150. Besuch beim Kurpfuscher. Öl auf Leinwand. 68,6 × 88,8 cm. London, National Gallery

148

149

150

Selbstbildnis: Der Künstler mit seinem Mops (vgl. Abb. 164)
Dieses Porträt ist ein Manifest einiger von Hogarth am stärksten
vertretenen Überzeugungen. Die Bücher von Shakespeare, Swift
und Milton unter dem Bild betonen sein englisches Wesen. Die
Serpentinenlinie auf seiner Palette ist die »Linie der Schönheit«, die
er später in seiner Abhandlung »The Analysis of Beauty« erklärt.

151. Morgendlicher Empfang der Comtesse. Öl auf Leinwand. 68,6 × 88,8 cm. London, National Gallery

152. Ermordung des Grafen. Öl, auf Leinwand. 68,6 × 88,8 cm. London, National Gallery

153. Selbstmord der Comtesse. Öl auf Leinwand. 68,6 × 88,8 cm. London, National Gallery

154. Anne Lloyd. 1743/44. Öl auf Leinwand. 76,2 × 63,5 cm. Glasgow, Art Gallery

155. Elizabeth James. Signiert und datiert 1744. Öl auf Leinwand. 76 × 65,5 cm. Worcester (Massachusetts), Art Museum

156. William Jones. Signiert und datiert 1744. Öl auf Leinwand. 75 × 63,5 cm. Worcester (Massachusetts), Art Museum

157. Richard James. Um 1744. Öl auf Leinwand. 75 × 62,2 cm. Sammlung Dr. D. M. McDonald

158. Mrs. Elizabeth Salter. Signiert und datiert 1744. Öl auf Leinwand. 76 × 63,5 cm. London, Tate Gallery

159. Der Stagmacher. Um 1744. Öl auf Leinwand. 70,5 × 91,5 cm. London, Tate Gallery

160. Thomas Herring als Erzbischof von York. Signiert und datiert 1744 und 1747. Öl auf Leinwand. 124,5 × 101,5 cm. London, Tate Gallery. Läßt auf ausführliche Retuschierung schließen

161. Bildnis einer Frau. Signiert und datiert 1745. Öl auf Leinwand. 76,5 × 63,5 cm. Liverpool, Walker Art Gallery

162. Frau in Gelb. Um 1745. Öl auf Leinwand. 75,6 × 64,2 cm. Detroit, Institute of Arts

151

152 153

154

155

156

157

159

158

162

160

163

161

164

163. Mrs. Hoadly. Um 1745.
Öl auf Leinwand.
61 × 48,5 cm. San Marino
(Kalifornien), Huntington
Art Gallery
**164. Selbstbildnis: Der
Künstler mit seinem Mops.**
Signiert und datiert 1745. Öl
auf Leinwand. 90 × 69,9 cm.
London, Tate Gallery

*Glückliche Hochzeit: Der
Tanz* (vgl. Abb. 172)
Im Gegensatz zu der Hoch-
zeit à la mode beabsichtigte
Hogarth eine Serie zu malen,
die er Glückliche Hochzeit
nannte – die Tugend und
Einfachheit einer ländlichen
Hochzeit im Gegensatz zu
der Lasterhaftigkeit und
Künstlichkeit der städtischen
Hochzeit, die in einer Tragödie endet. Doch Hogarth fer-
tigte nur ein paar Ölskizzen
an, von denen diese die bril-
lanteste ist.

Um 1745

165. David Garrick als Richard III. 1745. Öl auf Leinwand. 190,5 × 250,2 cm. Liverpool, Walker Art Gallery
166. John Huggins. Um 1745. Öl auf Leinwand. 45,7 × 40 cm. Somerville (New Jersey), Sammlung Mrs. Donald F. Hyde
Glückliche Hochzeit. (Abb. 167–173). Unvollständige Serie, um 1745. Hogarths Anordnung der Szenen ist unsicher
167. Brautwerbung. 1799 radiert von Thomas Ryder (vgl. Abb. 167a), vermutlich nach einem verlorengegangenen Gemälde
168. Der Hochzeitszug. Öl auf Leinwand. 16 × 19,5 cm. Sammlung The Marquess of Exeter. Fragment

Das Tor von Calais oder The Roast Beef of Old England (Ausschnitt, vgl. Abb. 176) Während eines Frankreichbesuchs 1748 wird Hogarth (der sich im Hintergrund mitgezeichnet hat) beim Skizzieren des englischen Tores in Calais verhaftet, ein Vorfall, der seine Fremdenfeindlichkeit verstärkt. Das Bild stellt Englands Fülle, symbolisiert durch ein Lendenstück, dem Hunger Frankreichs, dem Aberglauben und der Heuchelei gegenüber, die er dort verspürte.

165

166

167a

168

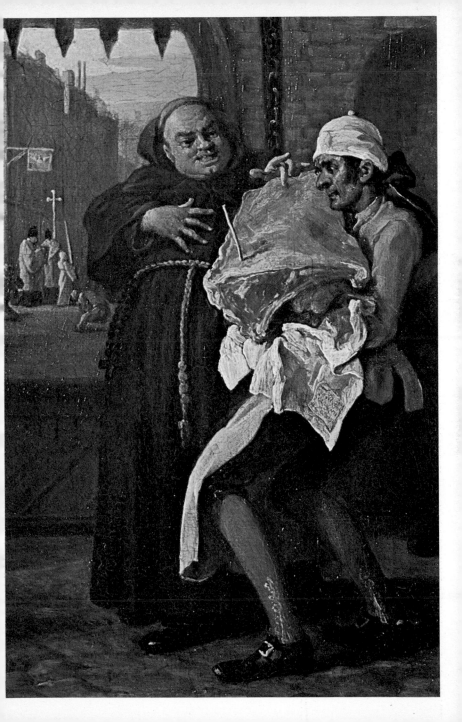

Der Marsch nach Finchley
oder *Die Garden marschieren*
im Jahre 1745 nach Schott-
land (vgl. Abb. 179)
Auf der Landstraße nach
Tottenham Court versam-
meln sich Soldaten, um 1745
den Marsch nordwärts gegen
den bedrohenden Vorstoß
des jungen jakobinischen
Thronbewerbers (Bonnie
Prince Charlie) anzutreten.
Viele haben die Nacht mit einer Orgie verbracht und sind
in sehr schlechter Verfassung, doch im Hintergrund
marschieren andere Truppen
in strenger Ordnung ab.

Um 1745

169. Das Hochzeitsbankett.
Öl auf Leinwand.
71×91,5 cm. Truro, Royal
Institute of Cornwall, County
Museum
170. Hilfe für die Armen.
1799 radiert von Thomas Ryder (vgl. Abb. 170a), vermutlich nach einem verlorengegangenen Gemälde
171. Gartenfest. 1799 radiert von Thomas Ryder (vgl.
Abb. 171a), vermutlich nach
einem verlorengegangenen
Gemälde
172. Der Tanz. Öl auf Leinwand. 68,5×90 cm. Camber-
well, South London Art Gallery

169

170a

171a

172

Das Krabbenmädchen (vgl.
Abb. 181)
Zu Recht eines der berühm-
testen Bilder Hogarths; die
Frische und Vitalität des
»Krabbenmädchens« scheint
es aus seinem historischen
Kontext herauszuheben. Die
Witwe des Künstlers pflegte
Besuchern zu erzählen:
»Man sagt, er könne kein
Fleisch malen. Da ist Fleisch
und Blut für Euch – dieses
hier!«

174

173. Engel der Gnade. Um 1746. Öl auf Leinwand. 59,7 × 48,3 cm. New Haven (Connecticut), Yale Center for British Art, Sammlung Paul Mellon

174. Moses wird vor die Tochter des Pharao gebracht. 1746. Öl auf Leinwand. 177,7 × 213,4 cm. London, Thomas Coram Foundation for Children

175. James Gibbs. 1747 radiert von Bernard Baron, vermutlich nach einem verlorengegangenen Gemälde

176. Das Tor von Calais oder The Roast Beef of Old England. 1748. Öl auf Leinwand. 78,7 × 94,5 cm. London, Tate Gallery

177. John Palmer. Signiert und datiert 1749. 76,2 × 63,4 cm. New Haven (Connecticut), Yale Center for British Art, Sammlung Paul Mellon

178. Edward Montagu, later Earl of Sandwich. Um 1749/50. Öl auf Leinwand. 56 × 43 cm. Privatsammlung

179. Der Marsch nach Finchley oder Die Garden marschieren im Jahre 1745 nach Schottland. Um 1749/50 (?) Öl auf Leinwand. 101,5 × 133,3 cm. London, Thomas Coram Foundation for Children

130. Paul vor Felix. 1748/49. Öl auf Leinwand. 304,6 × 426,6 cm. London, Lincoln's Inn. 1751 von Hogarth retuschiert

181. Das Krabbenmädchen. Um 1750–55. Öl auf Leinwand. 63,5 × 52,7 cm. London, National Gallery

182. Hogarths Dienerschaft. Um 1750–55. Öl auf Leinwand. 62,2 × 75 cm. London, Tate Gallery

183. Kopf eines Türken (Mr. Mossop als »Bajazet«?). Um 1750–55. Tempera auf Holz. 67 × 46,7 cm. Sammlung Major A. S. C. Browne

173

177

176

178

179

180

181

182

183

Hogarths Dienerschaft (vgl. Abb. 182)
Diese zwanglose Gruppe von Porträtstudien, die der Künstler zum eigenen Vergnügen malte und die die konventionelle Komposition aufhebt, ist eine der sympathischsten Arbeiten Hogarths.

1754–1759

Eine Wahl. (Abb. 184–187)
1754/55
184. Eine Wahlveranstaltung. Öl auf Leinwand.
101,5 × 127 cm. London, Sir John Soane's Museum
185. Wahlpropaganda. Öl auf Leinwand.
101,5 × 127 cm. London, Sir John Soane's Museum
186. Die Wahl. Öl auf Leinwand. 101,5 × 127 cm. London, Sir John Soane's Museum
187. Amtseinsetzung eines Mitgliedes. Öl auf Leinwand.
101,5 × 127 cm. London, Sir John Soane's Museum
188. Lady Thornhill. Um 1755. Öl auf Leinwand.
76,2 × 76,2 cm. Nostell Priory Collection, Lord St. Oswald
189. Frau in Braun. Um 1755. Öl auf Leinwand.
56 × 45,5 cm. Kingston upon Hill Corporation, Ferens Art Gallery
190. John Pine. Um 1755. Öl auf Leinwand.
71 × 62,2 cm. Fredricton (New Brunswick), Beaverbrook Art Gallery
191. Mary Lewis. 1755–59. Öl auf Leinwand.
53,5 × 48,5 cm. Aberdeen, Art Gallery and Regional Museum
Altargemälde für St. Mary Redcliffe, Bristol. (Abb. 192–94) 1755/56
192. Versiegeln des Grabes. Öl auf Leinwand.
421,5 × 264,5 cm.
193. Auferstehung. Öl auf Leinwand. 672,5 × 584 cm
194. Drei Marien am Grab. Öl auf Leinwand.
421,5 × 264,5 cm

184

185

188

192

186

189

187

190

191

193

194

195. Sir Francis Dashwood im Gebet. Um 1756. Öl auf Leinwand. 122×89 cm. Privatsammlung. Radiert von Platt (vgl. Abb. 195 a)

196. David Garrick und seine Frau. Signiert, 1757. Öl auf Leinwand. 132,7×104 cm. Sammlung I. M. Elisabeth II., Königin von England

197. Inigo Jones. 1757. Öl auf Leinwand. 95×72,5 cm. London (Greenwich), National Maritime Museum

198. Samuel Martin. 1757–60. Öl auf Leinwand. 62×52 cm. Verbleib unbekannt

199. Hogarth beim Malen der komischen Muse. Um 1757/58. Öl auf Leinwand. 45×42,6 cm. London, National Portrait Gallery

200. William Huggins. 1758. Öl auf Leinwand. 45,7×40 cm. Somerville (New Jersey), Sammlung Mrs. Donald F. Hyde

201. Die Bank. Um 1758. Öl auf Leinwand. 14,5×19 cm. Cambridge, Fitzwilliam Museum

202. Letzter Einsatz der Lady. 1758/59. Öl auf Leinwand. 91,5×105,5 cm. Buffalo (New York), Albright-Knox Art Gallery

203. Frank Matthew Schutz im Bett. Um 1755–60. Öl auf Leinwand. 63,5×76 cm. Sammlung John Todhunter

Eine Wahl: Eine Wahlveranstaltung (vgl. Abb. 184) Die Kandidaten der Whigs geben ein Abendbankett, um sich Anhänger für die Wahl zu sichern. Der Hintergrund erinnert an holländische Bilder mit Tavernenszenen, während die Komposition aufgrund des Betrugsthemas auch eine Parodie auf das Letzte Abendmahl zu sein scheint.

1730–1761

204. James Caulfield, 1st Earl of Charlemont. Um 1759. Öl auf Leinwand. 59,7 × 49,5 cm. Northampton (Massachusetts), Smith College Museum

205. Mary Woffington, als Mary, Königin von Schottland (?). Signiert und datiert 1759. Öl auf Leinwand. 59 × 50,8 cm. Sussex, Sammlung Petworth

206. Sigismunda trauert über dem Herzen des Guiscardo. 1759. Öl auf Leinwand. 99 × 125,7 cm. London, Tate Gallery

207. Richter Saunders-Welch. Um 1759/60. Öl auf Leinwand. 59 × 49 cm. Sammlung Mrs. E. A. S. Houfe

208. Henry Fox, 1st Lord Holland. Um 1761. Öl auf Leinwand. 63,5 × 53,3 cm. Slg. Lady Teresa Agnew

209. Captain Alexander Schomberg. Signiert und datiert 1763. Öl auf Leinwand. 61 × 48,3 cm. London (Greenwich), National Maritime Museum

Auswahlliste von Werken, die Hogarth zusammen mit anderen Künstlern gemalt hat

210. Sir James Thornhill und William Hogarth **Zephyr und Flora.** Ende der zwanziger Jahre des 18. Jahrhunderts. Ein dekoratives Bild für William Huggins gemalt (vgl. Abb. 200) in Headly Park, Hampshire. Hogarth soll »die Figur des Satyrs und einige andere« gemalt haben. Zerstört nach 1808

211. Sir James Thornhill und William Hogarth **Das House of Commons.** 1730. Öl auf Leinwand. 127 × 101,5 cm. The National Trust, Clandon Park, Sammlung Onslow. Hogarth hat die zwei rechten Köpfe in der unteren Reihe, Col. Richard

195a

196

197

199

198

200

201

202

204

205

203

206

207

208

209

Onslow und Thornhill, gem.
212. George Lambert,
Samuel Scott und William
Hogarth
**Vier Ansichten des West-
combe House, Blackheath.**
1732. Öl auf Leinwand. Je-
des Bild 89×124,5 cm. Wil-
ton House, Sammlung The
Earl of Pembroke. Die Figuren sind von Hogarth
213. John Wootton und William Hogarth
**Frederick, Prince of Wales,
bei der Jagd.** 1734. Öl auf
Leinwand. 214×276 cm.
Sammlung I. M. Elisabeth II.,
Königin von England. Die
Köpfe sind von Hogarth
214. George Lambert und
William Hogarth
Richmond Castle, Yorkshire.
1734. Öl auf Leinwand. Ver-
bleib seit 1958 unbekannt
215. George Lambert und
William Hogarth
**Die Ruinen von Leybourne
Castle.** 1737. Öl auf Lein-
wand. 103×96 cm. London,
Department of the Environ-
ment. Die Figuren, zumin-
dest die zentrale Gruppe,
sind von Hogarth
216. George Lambert und
William Hogarth
Landschaft mit Bauern. Ende
der dreißiger Jahre des
18. Jahrhunderts. Öl auf
Leinwand. 97,8×123,2 cm.
New Haven (Connecticut),
Yale Center for British Art,
Sammlung Paul Mellon. Die
Figuren sind von Hogarth
217. George Lambert und
William Hogarth
**Ansicht des Hauses von Chri-
stopher Cock, Rickmans-
worth, Hertfordshire.** 1742.
Öl auf Leinwand. 94×142,2.
Verbleib seit 1933 unbe-
kannt. Die Figuren sind von
Hogarth

Eine Wahl: Wahlpropaganda
(vgl. Abb. 185)

1742–1799

218. George Lambert und
William Hogarth
**Chiswick House, Middleses-
sex, Ansicht der Nordfront.**
1742. Öl auf Leinwand.
94 × 142,2 cm. Chatsworth,
Sammlung The Duke of De-
vonshire. Die Figuren sind
von Hogarth
**Hogarth von Samuel Ireland
zugeschriebene und für dessen Buch »Illustrationen zu
Hogarth«, 2 Bände, 1794
und 1799, radierte Gemälde**
219. **Entwurf für einen La-
denverschlag.** 1799, J. Merigot nach Hogarth (vgl. Abb.
219a)
220. **Zwischenfall im Maler-
atelier.** 1797 und 1799, Thomas Ryder nach Hogarth
221. **John Thornhill.** 1799,
John Whessell nach Hogarth
(vgl. Abb. 221a)
222. **Lady Pembroke.** 1799.
Thomas Ryder nach Hogarth
(vgl. Abb. 222a)
223. **Kopf der Diana.** 1786
und 94, Samuel Ireland nach
Hogarth (vgl. Abb. 223a)
224. **Kopf eines schwarzen
Mädchens.** 1786 und 94, Samuel Ireland nach Hogarth
(vgl. Abb. 224a)
225. **Beispiel einer falschen
Perspektive.** 1794, Samuel
Ireland nach Hogarth (vgl.
Abb. 225a)
226. **Landschaft mit Figuren.** 1786, erwähnt 1799, Samuel Ireland, nach Hogarth
(vgl. Abb. 226a)
227. **Rosamonds Teich.** J.
Merigot nach Hogarth
228. **Thomas Rich und seine
Familie.** 1799, Thomas Ryder nach Hogarth
229. **Weibliche Neugier.**
1799, Thomas Ryder nach
Hogarth
230. **Eine Unterhaltung im
Stil des Van Dyck.** 1799, Inigo Barlow nach Hogarth
231. **Szene in einer Bank,
1745.** 1799, Inigo Barlow
nach Hogarth

213

216

219a

David Garrick und seine Frau (vgl. Abb. 196)

Der größte Schauspieler jener Zeit, Garrick, war ein Freund und Bewunderer Hogarths, dessen Grabschrift er schrieb. Dieses charmante, lebendige Porträt (auch wenn Hogarth vermutlich damit die Parodie eines Bildes seines ausländischen Rivalen J. B. van Loo beabsichtigte) mochten die Garricks anscheinend nicht leiden.

1727–1781

**Auswahlliste von verlorenge-
gangenen, als »von Hogarth«
registrierten Werken, von denen keine Abbildungen exi-
stieren**

232. Element der Erde. 1727
233. Mr. Gamble. Um 1730.
Im letzten Teil des Jahrhunderts in Besitz von Samuel
Ireland
**234. Die Königin von Un-
garn.** 1746 bei Mary Edwards
versteigert, Los Nr. 50
**235. Sir Isaak Shard bei einer
Gerichtssitzung.**
1730/31. Kurz nach der Voll-
endung zerstört von Shards
Sohn
236. Mr. Kirkham. Um
1731. Im Januar 1731 von
Hogarth als unfertig registriert
**237. Die Familie des Her-
zogs von Montagu.** Um 1731.
Im Januar 1731 von Hogarth
als unfertig registriert
238. Die Familie Vernon.
Um 1731. Im Januar 1731 von
Hogarth als unfertig registriert
**239. ›Einen Kopf, für Mr.
Sarmond‹.** Um 1731. Im Januar 1731 von Hogarth als
unfertig registriert
**240. Der Boxer John
Broughton.** Um 1730–35
**241. Elizabeth Betts Hoad-
ly.** Um 1735
242. Die Familie Betts. Anfang der Dreißiger Jahre des
18. Jahrhunderts. Verbleib
seit 1817 unbekannt
243. Der Chirurg Ranby.
Um 1740. 1781 in Besitz von
Samuel Ireland
244. Danae. Um 1740. 1781
in Besitz von Samuel Ireland
**245. Jane Hogarth, die Frau
des Künstlers.** Um 1757/58.
Möglicherweise ein Pendant
zu Hogarts »Selbstbildnis«
(Abb. 199)
246. George III. Anfang der
Sechziger Jahre des 18. Jahrhunderts? Eine Ölskizze davon war 1781 in Besitz von
Samuel Ireland

221a

222a

223a

224a

225a

226a

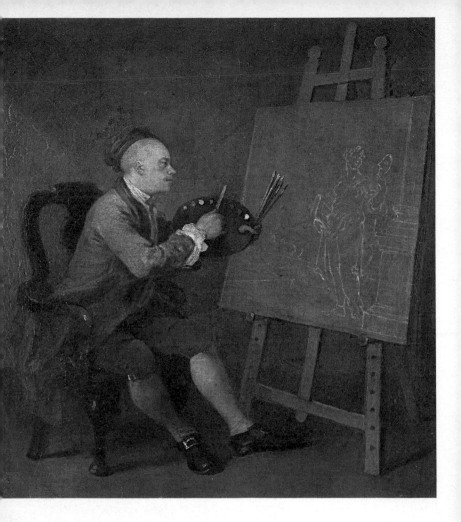

Hogarth beim Malen der komischen Muse (vgl. Abb. 199)
Hogarths letztes Selbstbildnis zeigt ihn mit den wesentlichen Mit-
teln seiner Kunst – seiner Palette, der Leinwand und seiner Inspiration, der Muse Thalia. Bei einer Durchleuchtung des Bildes sieht
man, daß ursprünglich noch ein Modell und der Mops, der sich
gegen den Stapel Alter Meister abhebt, abgebildet waren.

Bibliographie

Antal, F., Hogarth and his Place in European Art London 1962. (Ins Italienische übersetzt: Grandi e libertini nella pitture di Hogarth Mailand 1964)

Atherton, H., Political Prints in the Age of Hogarth, Oxford 1974

Baldini, G. und Mandel, G., L'opera completa di Hogarth pittore, Mailand 1967

Beckett, R. B., Hogarth, London 1949

Burke, J. (Hrsg.), The Analysis of Beauty (1753), Oxford 1955

Burke, J., English Art 1714–1800, Oxford 1976

Burke, J. und Caldwell, G., Hogarth's Complete Engravings, London 1968

Croft-Murray, E., Decorative Paintings in England 1537–1837, 2 Bände, London 1962, 1970

Dobson, A., William Hogarth, London 1891, revidierte Ausgabe 1907

Hazlitt, W., Lectures on the English Comic Writers, London 1819

Herdan, I. und G., Lichtenberg's Commentaries on Hogarth's Engravings, London 1966

Ireland, J., Hogarth Illustrated, 3 Bände, London 1791–98

Ders., Graphic Illustrations of Hogarth, 2 Bände, London 1794–99

Kerslake, J., Early Georgian Portraits in the National Portrait Gallery, 2 Bände, London 1977

Kitson, M. (Hrsg.), Hogarth's ›Apology for Painters‹, in Walpole Society, Nr. XLI London 1968

Levey, M., Mariage à la mode, London 1970

Lichtenberg, G. C., Ausführliche Erklärung der Hogarthischen Kupferstiche, 5 Bände, Göttingen 1794–99

Lindsy, J., Hogarth, London 1977

Mitchell, C. (Hrsg.), Hogarth's Peregrination, Oxford 1952

Moore, R. E., Hogarth's Literary Relationship, Minneapolis 1948

Nichols, J. B., Anecdotes of William Hogarth, London 1833

Nichols, J. B. und Steevens, G., Reed, I., Biographical Anecdotes of William Hogarth, London 1781, 1782, 1785

Ders., The Genuine Work of William Hogarth, 3 Bände, London 1808–17

Oppé, A. P., The Drawings of William Hogarth, London 1948

Paulson, R., The Art of Hogarth, London 1975

Ders., Hogarth's Graphic Works, 2 Bände, New Haven und London 1965, revidierte Ausgabe 1970

Ders., Hogarth: His Liefe, Art and Times, 2 Bände, New Haven und London 1971

Rouquet, J. A., Lettres de Monsieur à un de ses Amis à Paris pour expliquer les Estampes de Monsieur Hogarth, London 1746

Ders., State of the Art in England, London 1755

Smith, J. T., Nollekens and his Time, 2 Bände, London 1823

Sunderland, J., Painting in Britain 1525–1975, Oxford 1976

Tate Galery, Hogarth (Ausstellungskatalog von Gowing, L. and Paulson, R.), London 1971–72

Trusler, Rev. J., Hogarth Moralized, London 1768, ed. 1831

Vertue, G., Notebooks, 6 Bände, Walpole Society, 1934–55

Walpole, H., Anecdotes of Painting in England, 4 Bände, Strawberry Hill, 1765–71 und Yale 1937

Waterhouse, E., Painting in Britain 1530–1790, London 1953, 4. Aufl. 1978

Webster, M., Hogarth, Verona 1978, London 1979

Wensinger, A. S., Coley, W. B., Hogarth on High Life, Middletown (Conn.) 1970

Whitley, W., Artists and their Friends in England 1700–1799, 2 Bände London 1928